945 Presents | The Dangerous Convenience Store

blackD

Contents

Chapter

06

먹는 내내
체할 뻔했어….

맛은 있었지만

뭐냐고
갑자기….

만지작—

안 가니.

아, 가요….

들어가세요~
또 뵙겠습니다!

…저어,

잘 먹었습니다.

맛있었어요….

이제… 바로
집에 가려나?

좀 걷자.

그리고 보니

자게 된 것도 그렇고, 갑자기 이렇게 같이 걷게 된 것도 그렇고.

평범한 인연은 아닌데…

아저씨가 전혀 아무렇지 않아 해서 그런가?

이제 생각만큼 어색하진 않은 것 같아.

…신기하다.

오늘 날씨 진짜 좋은 것 같아요. 그렇지 않아요?

그런가….

언제나 생각하지만,

하하…

정말 독특한 화법이야……….

그런가 보지.

지금이 딱 좋은 봄 날씨잖아요.

바람 적당히 불고, 춥지도 덥지도 않고….

……

씨…

뭐야.

꼭 억지로 대화하는 것처럼…

......

여의준.

왜요.

아차.

너무 건방지게
대답했어…!!

부, 부르셨어요…?

싫다고 했잖아.

아예 못 드시는 건 아니잖아요.

소심한 복수다…! 우하하~

씨X….

그건 둘째 치고.

이천 원으로 삼만 원을 때우려고?

남은 건 다음에 꼭 갚을게요.

…다음?

네! 조금씩 갚는 것도 괜찮으시면… 커피 같은 거 사드려도 되고요!

절대
안 잊어버릴게요!

헤헤…

그러시든가.

커피 취향은
어떻게 되세요?

달지만
않으면 돼.

……

…그래도
그 아이스크림,
맛있죠?

단 거 싫어한다고
백 번은 말해야
알아들을 건가?

헤헤…

슬슬 가자.
집에.

네!

12

......

?

오늘
감사했습니다.

저도 이제
들어가볼게요.

......

......

…아저씨?

저… 이만
들어갈게요?

…안녕히 ㄱ…

오늘도
일하러 가니.

아, 네.

시간이
아직 남아서,
좀 쉬다가…

가야죠…?

왜…
그러세요?

뭐 필요하신
거라도….

그런 건
아니고.

생각해
보니…

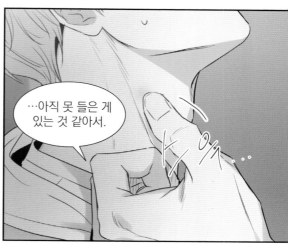

…아직 못 들은 게
있는 것 같아서.

…네?

앗…,

문질…

뭐, 사실…

그 대답이
듣고 싶은 건
아니고.

시험해보니
어때.

잊을 만했나?

아,

15

…이대로
보내기 싫어서.

너랑 또
섹스하고 싶다고.

좋았는데?

이 사람은…

왜 이렇게 항상
돌직구인 거야…!

그, 그게…

저도 좋긴,
좋았… 는데….

그…

아팠니.

......

......

그런 거 신경 쓰면서
해 본 적이 없어서
잘 될지는 모르겠지만…

아프지 않게 할게.

…네…?

쪽

뭣하면
네가 올라타서,

흣…

박히고 싶은 만큼
흔들면 되잖아.

응?

의준아.

조금만 더
같이 있자고,
나랑.

그,

그러니까…

아저씨와의 하룻밤으로
사람이 그렇게
느낄 수 있다는 사실을
처음 알았다.

또 하고 싶냐고
묻는다면,

저는…

…저도,

하고 싶긴,
한데…

진짜,

아파요….

너무 아파서…

앉을 때도
힘들단 말이에요….

…다음에

해주시면
안돼요…?

꿈틀

정말…

…가도 돼요?

하아아…

평소에는
잊고 있었는데…

음…

역시 무서워.

하지만…

그런데도 왠지 나를
특별히 대해주는 것 같다고
느껴진다면…

내가
이상한 걸까?

잘 지낸
얼굴인데.

여전히
예쁘다는 거지?

말을 꼭
돌려서 한다니까.

…준비해 온 거나 줘.

무뚝뚝하긴.

김 씨네 늙은이들은 요새 뭐 하니.

이사님들이라니까.

앉아서 눈치나 보다 돈 챙기는 놈들도 이사라고…

어쩌겠어? 멀쩡한 회사처럼 보이려면 일단 직함이 중요한데.

차채현이는.

따링~

띠릭

차 이사님? 요즘 회사에 잘 안 나오시던데.

당신이 더 잘 알지 않아?

……

……?

뒈지고
싶다는데.

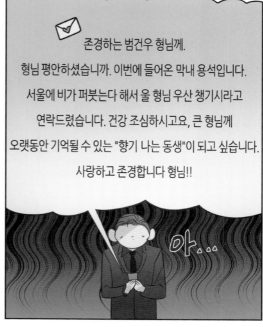

존경하는 범건우 형님께.

형님 평안하셨습니까. 이번에 들어온 막내 용석입니다.

서울에 비가 퍼붓는다 해서 울 형님 우산 챙기시라고

연락드렸습니다. 건강 조심하시고요, 큰 형님께

오랫동안 기억될 수 있는 "향기 나는 동생"이 되고 싶습니다.

사랑하고 존경합니다 형님!!

아...

확인했어.

늙은이…
오래도 살아 있네.

아직 기사 같은 건
안 뜬 모양이던데.

그래도 곧 뜰 거야.
돈으로 막을 수 있는 건
한계가 있으니까.

……

오늘…

당신은 곧
바빠질 테고,

한동안 또
못 볼 거 아냐?

쌓이긴 했지.

그 빌어먹을 애새끼.

그냥 한 번
해주면 덧나나?

…아픈 것도
핑계 아냐?
멀쩡해 보이던데.

그것도 그렇고,
섹스하자고 했더니
우는 사내새끼가
이 세상 천지에
어디 있냐고.

내가 뭘 더
어째야 돼?

…설마 내가 그쪽으론
안 먹히는 타입인가?

……

제길….

…몇 시지?

응?

여섯 시쯤?

…가야 돼.
다음에 해.

뭐~?

그런 게
어딨어.

약속이라도
있어?

음...

그런, 건
아닌데….

립스틱 자국,

향수 냄새….

하하.

삼천 원
결제해드릴게요.

특별하긴 무슨….

내일
비 온다더라.

우산 챙겨 가라고.

비 맞지 말고.

…아저씨,

혹시 애인 있으세요?

…?

아니, 왜.

그나마 다행이네….

아뇨, 그냥.

그건 그렇고…

여기… 뭐가 묻었어요.

톡

톡

응?

아뇨, 거기 말고.

이쪽…

아…
뭐였지….

아마…

립스틱 같아요.

뭐…

우리는 합의하에
잤을 뿐이고,

아저씨는 한 번 더
하고 싶어서 잘해주시는 것
뿐이잖아.

봉투에
넣어드릴게요

나도, 아저씨도
큰 고민 없이 시작한
관계인걸.

그래, 처음부터
그런 사이였으니까

서운할 필요 없어.

안녕히 가세요.

아.

그거 완전
너한테
관심 있는 거
아냐!?

웬일이냐
진짜!!!

편의점에
맨날 찾아오는 데다
밥까지 사주고…

산책하면서
못 먹는다는
아이스크림까지
먹어주고…

아니 그건 둘째 치고,
같이 있고 싶다고 했다며!!
완전 돌직구인데?

야. 이건
빼박이지.

나머지는
말 못 할 일들 뿐이라…
오해해도
할 말이 없네….

아니라니까….

그 사람 얘기 좀
더 해봐, 어때?

잘생겼어?
키 커?
스타일은 어때?

시간 좀
내줄래요?

…왜?

저,
헤어졌어요.

···뭐?

헤어졌다구요.

형 때문에···.

와-
쟤가 윤현우 맞지? 너무 뻔뻔해서 어이가 없네.

쟤네 과 애들은 쟤가 저러고 다니는 거 알까?

태연...

흠... 이미지 관리 잘하는 애 같으니까, 아무래도 안 들켰겠지.

짜 오 옥

넌 나보다 더 열 내야 되는 거 아냐? 너희가 친구 몇 년인데!!!

부글
부글

여의준 저놈, 너무 착해서 아무 말도 못 할 거 뻔하잖아!

의준이, 착하긴 해도...

멍청할 정도로 순해 빠진 애는 아냐.

안 되겠다. 내가 가서...!

벌

떡

냅둬~

저한텐 언제나 좋은 사람이었으니까요….

형이라면 제 억지를 들어줄 거라고 생각했나 봐요.

제가 형을 생각보다 더 많이 좋아한다는 사실을 깨달았고…

후회하기 싫어서 애인이랑 헤어졌어요.

형이 좋아요.

…한 번만 더 기회를 주세요.

······

나는

네가 너무 미워
현우야.

너를 미워하기로
결심했는데,

이렇게 나오면
마음 편하게
미워할 수도 없잖아.

하지만, 가장 싫은 건

이런 상황에서도
흔들리는 나겠지…

어차피 정말 좋아해서
사귄 것도
아니었던 것 같아요.

같은 동아리 다니는데, 괜히 아~ 차면 왠지 곤란하겠다, 싶은 거 있잖아요.

하하

차면 나만 나쁜 놈 될 것 같고….

그래서 받아줬던 거예요, 그냥.

형한테는 진심이니까,

용서…

해줄 거죠?

꾸욱

…응.

용서할게.

애초에 내가
용서하고 말고
할 일도 아니지만.

…!

…정말 다행이다.

그냥 착한 게 아니라니…
누가 봐도 개호구 같다구!

미안해서라도
받아줄 거 뻔하잖아!

결국
용서해주긴 할걸?

거봐! 너무
물러터져서
답답하다니까.

두고 봐~

참고, 참고
또 참다가도,

아- 이건 아니구나,
하고 절감하는 순간에는

그 누구보다도
잘 끊어낼 수 있는 애야.

아무리 마음이
남아 있어도 말이야.

네가 그런
치졸한 생각을 하는 애라
정말 다행이라고.

…네?

이번이 마지막이야.
다음부터는 네 말
들어줄 일 없어.

그게 무슨…

하

용서해준다고
했잖아요.

그래.

이제 너를 보면
아무 생각도 안 들거든.

화가 나는 것도
아니고,

전처럼
눈물이 나는 것도
아닌데…

Chapter

07

아…

힘 빠져….

영화처럼 특별한 계기로
사랑에 빠진 것도,
안 보면 죽을 것 같은
열렬한 사랑도 아니었는데

좋아하는 마음 하나
접었다고…

삼 년간 열심히
살아왔던 날들의 의미마저
희미해지는 건 왜일까.

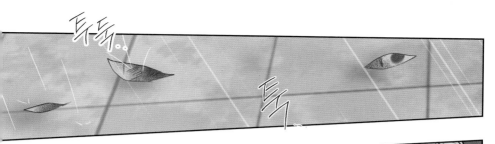

벗꽃 다
떨어지겠네.

아저씨랑 걸으면서
벗꽃 구경해둔 게
다행인가…?

그러고 보니

요즘 우울했던 날에는 항상

아저씨랑 같이 있었네.

…?

…아저씨?

어어.

…왜 전화하셨어요?

그….

……

……

목소리가 왜 그래.

아, 어… 네?

울었니.

아, 그.

어디야.

…아저씨?

너….

…네?
아, 아니…

아니에요.

저 아무렇지도 않은데요…!

내가…
네 눈엔,

두 번 묻는 걸 즐기는 놈처럼 보이나 봐.

그, 그러니까, 여기가요….

덜덜

덜덜

굳이 오겠다고 하시네.

빡

혹시…
걱정해주시는 건가?

자칫하다간
착각하겠어.

자고 싶은 상대에게
잘해주는 것뿐일 텐데.

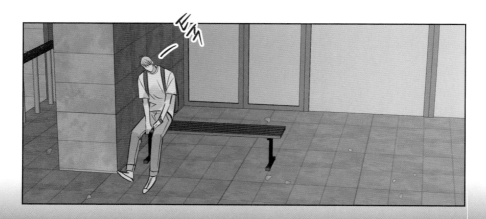

이상하다.

섭섭해할 일도
아닌데.

죄송해요…
잠들었나 봐요.

감기 든다.

그러게요…
그치만 진짜 잠든지도
몰랐어요.

흠짓

……

학교가 집에서
꽤 머네.

조금 거리가
있죠?

바쁜 일
없으셨어요…?
안 오셔도 되는데.

하하

얼굴 좀 보자.

네?

이거 또 울었네.

또 그
현우인지 뭔지
때문인가?

……

그러는 아저씨도
현우랑 다를 거
없잖아요.

문질

다정하게 대해줬으면서,

결국 다 착각이었다는 사실에
나만 바보되는 것 같아요.

……

꾸욱

아니지.

내 마음대로 기대해 놓고 누굴 탓하고 있는 거야.

내가 바보처럼 우물쭈물하고, 제대로 끊어내지 못하니까 그런 거잖아.

아저씨.

저랑…

꿀뻑

자요.

싫으신가?

…아저씨?

아저…

알았으니까.

잠깐
조용히 좀
하자….

네,

네에….

어….

!

따라와.

아, 그게….

시계가 눌려서,

조금,

아파서….

……

내가 그것까지
신경 써줘야 하나?

그게 문제가
아니잖아요!
여기 제가 다니는
학교라구요…!

드, 들키기라도
하면.

…써,

싫은…

주실 수,
있잖아요….

……

내가 너한테
진짜 잘해줬나 보네.

…뭐,

어차피 밖에선
보이지도 않으니까

네가 조용히 하면
들킬 일도 없어.

…!

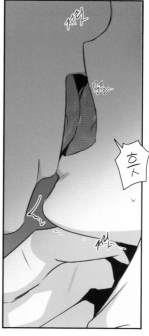

떡...

들어 봐,

정말
안 들킨다니까.

넌 가만히
입이나 틀어막고
있으면 돼.

응?
의준아.

내가 다
해줄 텐데.

……

싫, 다고 하면,

하…

들어는
주실 거예요?

고민은
해볼게.

......!

하하….

?

또…

내가 또…

세게 잡을까 봐.

마음도 없으면서
저런 말과 행동을 해.

괜찮아요….

그런 거,
신경 안 쓰셔도
돼요.

아

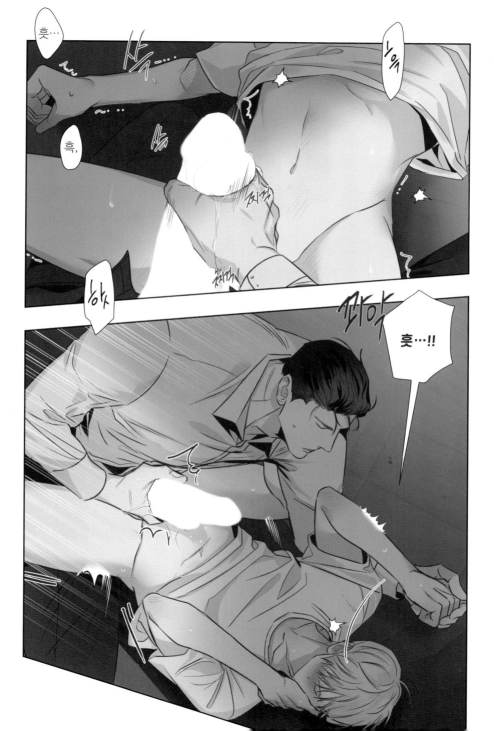

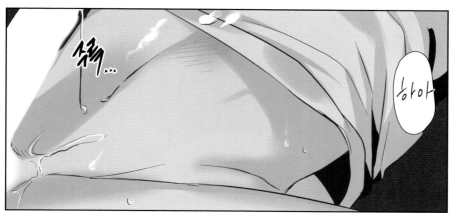

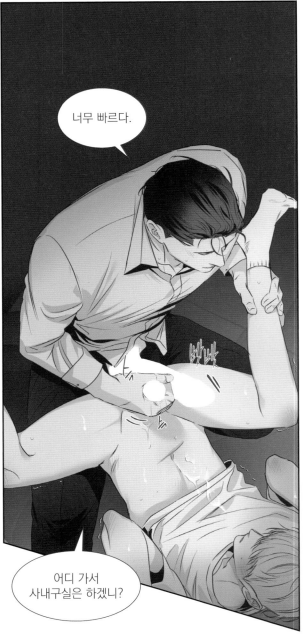

와아ー

아, 아저씨가 너무 느린 거잖아요…!

그래?

삐ㄱ…

……!

잘 봐줘.

하아…

…네? 뭐, 뭘….

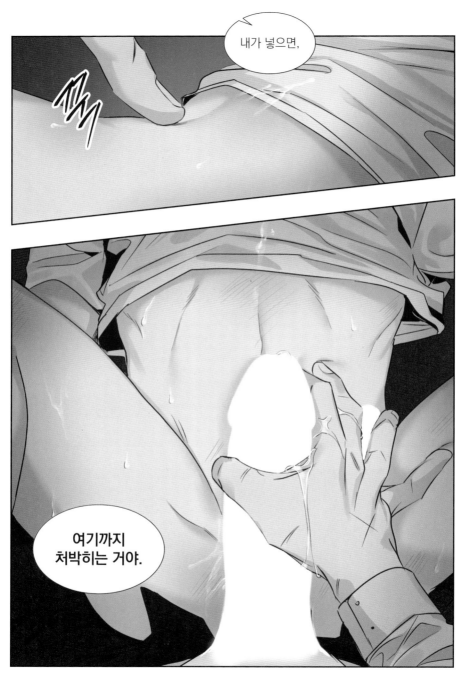

얼굴까지
튀었어….

아.

하악

쮸읍

쮸읍

하, 쮸읍
아저씨,
왜…,

사악

으아!

왜….

음차

아!

해 보신 적
없으시면서…!

아, 윽,

그마안…

저, 진짜,

더, 는,

또, 빨리하면
놀리실 거면서…!

못…

으응…!

아…….

Chapter

08

문제 있는 거 아냐?

뭐가 이렇게 빨라.

아, 아니에요!

바, 받아 본 적은 처음이라 당황해서…!

부끄러워…

…해준 적은 있고?

그, 그건…

화악―

됐다.

…뭐,

내가 상관할 일도 아니고

손가락 하나 넣었어.

엄살 부리지 마.

어, 엄살 아니에요…!

아직 부어 있어서 아프단 말이에요….

손가락도 굵으시면서…!

……

안 되겠어요….

역시 오늘은 못 할 것 같…

…!

대신, 이렇게
잡을 수 있게
해주세요….

힘들 것
같아서….

맘대로 해.

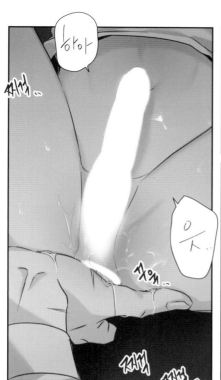

지금은 어때.
아직도 아프니.

아, 아…

넣으면…

…아플, 것, 같…아요.

…….

……

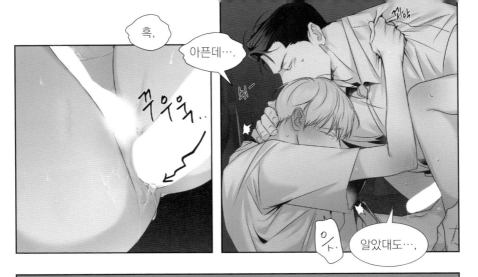

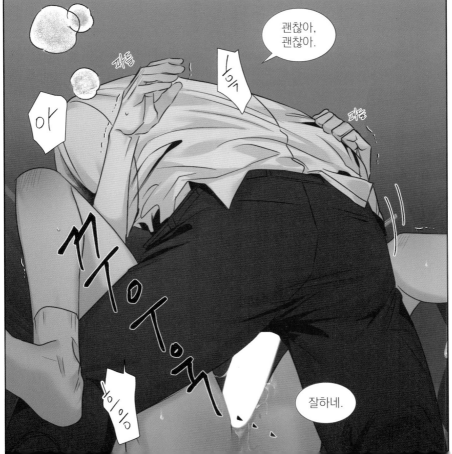

129

거봐,

할 수 있댔지.

…와아.

…아.

아저씨…

콘돔….

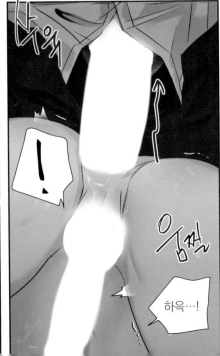

하윽…!

쩌벅… 하으윽…!

쪼벅

응… 쯔벅…

이제 좀 나아? 쩌벅… 쩌벅… 쩌벅…

하윽 아

네에…

짜벅

처, 천천히, 해주셔서… 짜벅

엄청, 눌려서…. 쿨렁 짜벅

기분 좋아요…

짜벅 짜벅

하아아 아아

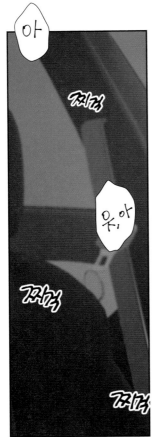

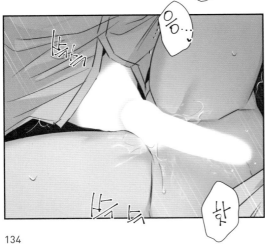

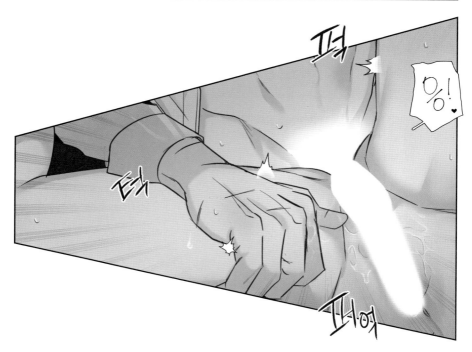

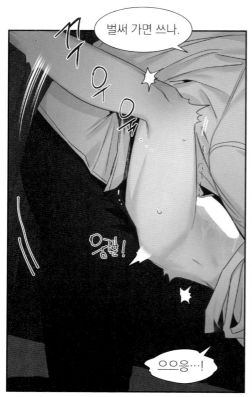

벌써 가면 쓰나.

으으응…!

오늘 나랑 오래 있어줘야 할 텐데…

이렇게 쉽게는 못 보내지.

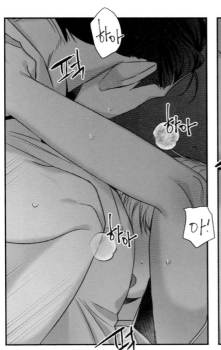
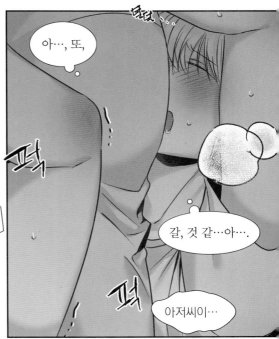

왜 자꾸…
멈추세요….

조, 조금만 더,
움직여 주…세요,

하아

갈, 뻔,
했는데….

하아

또 혼자
가려고?

후…

조금만 더
참아 봐.

싫, 어요….

가고 싶어요….

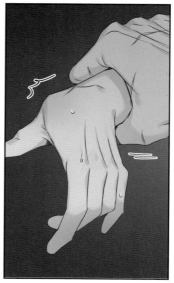

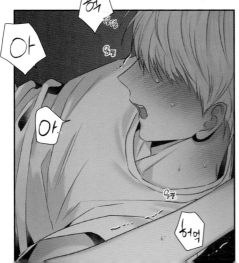

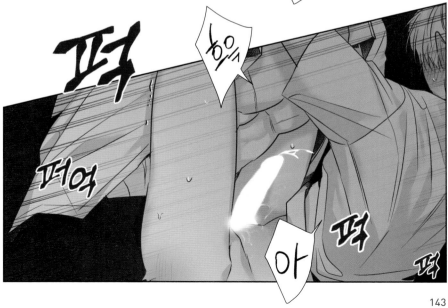

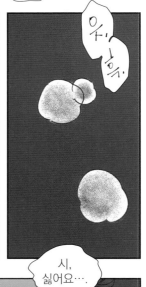

146

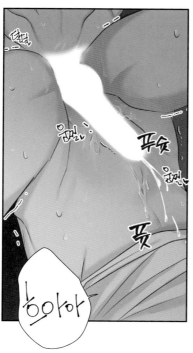

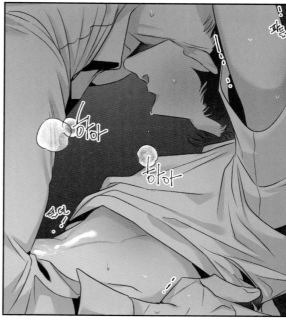

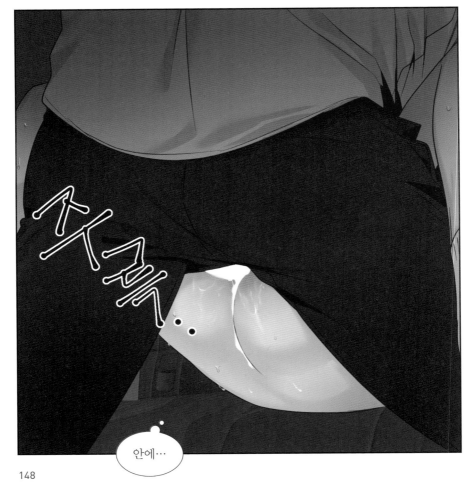

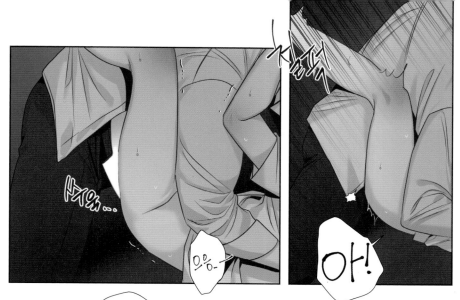

아저씨이…

히으으

하아

그만하고 싶어요….

도대체…

몇 시간
째예요….

저… 알바도
가야된단
말이에요….

하아

씨팔…

짜악

그놈의
알바…

조금만 더 있어…
아직 시간 있잖아.

못 해요…
더 안 나와요….

배도 아프고…
허리도 너무 아파요….

……

하아.

응..!

그래…

보내줄게.

…!

나 싸고 나면,
그때.

올라와,
여의준.

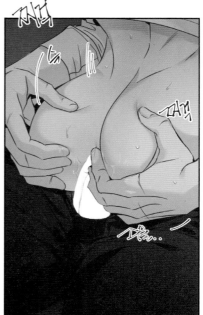
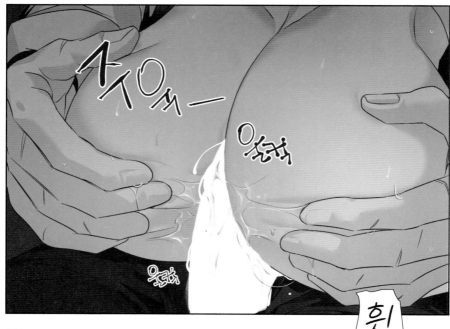

쏟아져 나올 정도로
많이 먹었네, 의준아.

느껴져?

으응…

흑…

모르겠어요…

……

의준아.

언제까지 쉴래.

이렇게 해서는
너 오늘 집에 못 가.

……

열심히…
하고 있는데….

도대체 언제
사정하는 거야…

……

혹시…

하아..

하아..

저…, 아저씨.

으..

?

잠시만,

입술 좀
열어주세요…

이런,

씨팔…

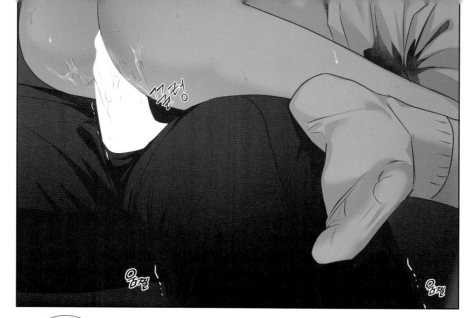

하아...

키스에
약하신가 봐···.

······

Chapter

09

…왜.

춥니.

물….

응… …

…물?

터벅..

터벅..

주차금지

…뭐가 이렇게
어두워.
몇 시야?

······

씨팔,
…겨우 이 정도 했다고
울고 짜고….

어차피 저 녀석
내일은
쉬는 날일 텐데.

……

뭐,

아무래도
차에서 하면
좀 힘들긴 하지.

지이잉-

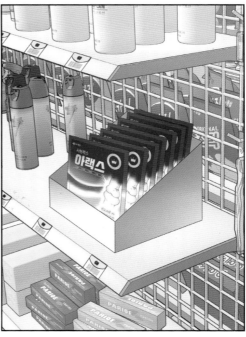

흐음….

천 원입니다.
담아드릴까요?

안녕히 가세요-.

……

립스틱 같아요.

그 말을 듣고 쓸데없이 까마득해졌던 시점에서 알고는 있었다.

아-

제 버릇 개 못 준다고,
먼저 떠오르는 생각은

'감히, 겁도 없이' 따위였는데

고민하는 기색조차 없었던 네 표정을 떠올리자면

고민할 거리도
안 됐나, 내가?

아쉬움도 없어?

······

ㅎㅇ아

아쉬운 건 나뿐인가.

스스로도 못 견딜 만큼 유치한 생각을 하게 되는 것이다.

끝내는 게 낫다.

씨팔, 그래.
지금은 사랑놀음
할 때도 아니고.

…원하는 대로
끝내주지.

하지만 이왕 끝내는 거,

나도 질릴 때까지 즐겨야 계산이 맞지 않겠어.

따라와.

계산은, 지랄

......

여의준.

……

…의준아.

내가 널
좋아하는 것 같은데.

…어쩔까.

으음….

일어났니.

마셔.
목마르다며.

아…
감사합니다….

꿀꺽

꿀꺽

아…
팔 움직이는 것도
힘드네….

아, 다행이다.

헤헤

⋯⋯

짜물⋯

아. 그러고 보니⋯

오늘 왜 전화하셨던 거예요?

할 말 있으셨던 건가 해서요.

빨리도 물어본다.

……

…저는 분명 물어봤었는데요…

그런데 아저씨가 무시하시고 할 말 하셨잖아요….

…그래? 씨팔 놈이네.

;

그런 말을
하려던 건
아니었어요….

…그,

립스틱.

묻히고 왔던 거.

다른 사람이랑
자고 온 거,
아니라고….

말하려고
전화했었어.

……?

사실 우리는
합의하에 원나잇을
했을 뿐이니까…

변명하는 게
더 이상한 거…
같은데…

아닌가…?

아.

다른
섹스 파트너를 두는 건
매너가 아니라는 걸
어디서
들은 것 같은데…

……

그런 이유려나….
우린 섹스 파트너라고 하기도
애매하지만.

그냥 말해두고
싶었던 거니까
크게 신경 쓰지는 마.

알고만
있으라고.

193

194

괜찮아요.

사실 제가
신경 쓸 수 있는 일도
아니잖아요.

저희가 뭐,

어떤…
사이도 아니고.

사실
자고 오셨어도
상관 없는데….

꾸악

뭐라고 할 수 없는
문제니까.

……

이제 정말 끝이구나.

전혀 아쉽지 않다면
거짓말이겠지만, 그래도.

마음이 조금
편한 것 같아.

……

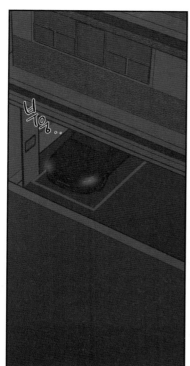

부웅..

턱

데려다주셔서 감사합니다.

어어.

스륵

쫄

쫄

저벅

저벅

저어,

아저씨.

······

그런 관계는…
끝이라고 했지만,

전 그래도
아저씨랑 잘 지내고
싶어요.

조금 무섭긴 하지만,

항상 잘해주신 것도 그렇고,

이렇게 비 오는 날 데리러 와주신 것도 그렇고….

좋은 분이라고 생각했어요.

그러니까…

불편하실지도 모르겠지만,

평소처럼 인사하고 지냈으면 좋겠어요.

그래주실 거죠…?

……

의준아.

…네!

…예?

어, 그, 러니까…

그게,

지금,

저한테….

…고백 같은 건
아니니까
안심하시고.

아….

한번
간이나 보라는
소리야.

무슨 소린지…

모르겠어요….

그러다 괜찮으면
고르고,

내가
어떤 놈인지,

내가 너한테
어떻게 해주는지

…보라고.

아니다 싶으면
버려.

대신,
버릴 거라면
정확히 해.

그전까진
봐줄 생각 없으니까.

Chapter

외전

독똑

형님.

지시하신 내용들
조사 끝났습니다.

까딱

뭐야.

어차피 잠만 잘 곳 찾는 건데 뭔 놈의 조사를 이렇게 많이 했어.

그래도 지내시기에 편하셔야 할 것 같아서….

맨 위 장의 동네가 가장 적합할 것으로 생각됩니다.

질 낮은 깡패 놈들이 많아 경찰들이 잘 드나들지 않는 곳이라서 움직이시기엔 편하실 겁니다.

꼴통 소굴이라 이거네.

…네.

아. 지금 보고 계신 빌라가 가장 조용할 것 같습니다.

네 가구가 들어갈 수 있는 주택인데요.

곧 한 가구만 남게 돼서, 당장 있는 한 가구는 형님께서 쓰시고,

나머지 두 가구는 계약만 해두면 될 것 같습니다.

후우

나머지 한 놈은 뭐야.

조사를 해 봤는데…

가족관계를 보니 부모는 교통사고로 사망했고,

친형이 있는데 의식불명으로 병원에 누워 있습니다.

하암…

기구하시네.

예. 그런 이유로 빚이 제법 있지만 성실하게 꾸준히 갚고 있고요.

아마 그 동네에 들어간 이유는 그냥 집값이 싸서… 라고 생각될 정도로 전과고 뭐고 깨끗한 놈입니다.

배짱이 있는 거야, 멍청한 거야?

…저, 형님.
그런데…

이번 일
정말 하실 겁니까?

…입 아프다.

휙

…예.
가보겠습니다.

탁…

고대하던
순간이긴 하지만

…기뻐하긴
아직 이르지.

분명 옆집에
한 놈 산다고 했는데,

쥐 죽은 듯이
조용하네.
지나가다
만난 적도 없고.

그새 나갔나.

뭐, 나야
안 보이는 편이
좋지만.

처익

텅

담배만 온종일
피우고 앉았군.

…사와야겠네.

?

뭐야.

아, 저,

어제 일,
사과드리고
싶어서요.

…일?

뭔 놈의 일.

저, 제가
카드 대신 손가락…
내밀었던 거,

기억나세요?

그게, 제가 잠깐
오해를 해서
그런 건데요….

손님이,
막, 그런…

윙설

넘설

위험한 일을 하게
생겼다는 의미는
아니었는데…

213

여기 주변에 그런 분들이 워낙 많다 보니까,

그냥…….

뭔 개소리야. 한가하니?

가서 네 일이나 봐.

왜

……

시무룩…

네에….

담배는 ○○○○으로.

네….

시무룩…

계산해드릴게요.

구천오백 원 입니다….

봉투 필요하세요…?

아니.

카드···.

······

나 참.

톡

?

이걸로 서로
오해한 셈 쳐.

귀찮으니까
구구절절 사과하지
말란 소리야.

아,…네.
감사합니다….

그 뒤로 그 편의점을
매일같이 들리게 되었는데

아, 안녕하세요….

그 날도

…안녕하세요!

그 다음 날도

아, 오늘은
어제랑 다른 술
사시네요?

저 이제
아저씨가 사시는 담배
외웠어요.

이거 맞죠?

또 그 다음 날들도.

…매일 새벽에
오시네요.
피곤하지 않으세요?

…별로.

겁먹은 게 뻔히 보이는데도,

웃긴 모양새로 쭈뼛대는 녀석을 보는 게
얼마 안 되는 여흥이었기 때문이다.

……

이상하네.

사내새끼가 얼굴을 붉히고,
답답하게 횡설수설하는 걸 보면

걸어차고 싶다는
생각이나 했을 텐데.

왜 그 녀석은
기분이 나쁘지 않은지.

흠

반반하게
생겨서?

아니지. 그렇다고
봐줄 맘이 든 적은
없는데.

219

아무튼.

…얼굴도 그렇지만.

사내 녀석치곤 목이 예쁘던데

그 정도면…

뒤에서 박는 것 정도는…

……?

…뭐야?

사내새끼로
그딴 상상이 돼?

요즘
안 해서 그런가

쿵쿵이.

드르륵

……

텅

…이런. 맞는 거
찾기도 힘든데.

하아

그때까지만 해도

담배가 떨어져서,

할 게 없으니
담배만 더 느는군.

갑자기 다른 술이
마시고 싶어서,

…언젠간 다
처리하겠지.

그런 변명을 붙여가며
줄곧 편의점을 찾았던 이유가
호감에 있었다는 사실은

오늘도
새벽에 갈까.

당시의 나로서는
의식하기 어려운 문제였다.

그러다가 마주한 상황은,

더더욱 어려운
문제이긴 했지만.

…네, 맞아요.

물어보신다면…
숨길 생각은 없지만…

……

제기랄,
왜 물어본 거지. 나도 모르게

…뭐, 아무튼.

하는 일이 그랬다.

조사를 해 봤는데…

가족관계를 보니 부모는 교통사고로 사망했고

불우한 가정사, 구질구질한 사연. 그런 것쯤이야 주위에 널리고 깔려 있었다.

친형이 있는데 의식불명으로 병원에 누워 있습니다.

기구하시네.

그런 것들에 일일이 동정하거나 연민을 느끼는 성정도 아니었을 뿐더러 그다지 신경 쓰일 만한 일도 아니었는데.

그런 와중에도 연애는 해 보겠다고 혼자 설레발치고,

차여서 술 마시고….

각박한 상황을 충실하게 버텨내고 있는 네가, 고작 하고 싶은 게 연애라는 사실이

왜 그렇게도…

키스…

할 수 있을 것
같은데.

쟁그랑—!

……

형님들.

지금 나 자는 거 안 보여요.

…미, 미안하다 건우야. 우린 나가서 얘기할게.

그래 미안하다, 너 자는데…

탁.

에휴 씨팔…

깡패 새끼들….

그래, 그러니까. 분명히.

정말 그놈을
잊을 수 있을지.

한번
시험해 보자고.

처음부터 계획한 수작질은 아니었을 것이다.

아저씨, 저… 학교,
가야 해요….

…여의준?

…의준아.

하아….

일어나.

끼익..

쪼옹..

……

엄살 피우지 좀,

하아

철퍽

퍽

퍽

말고….

퍽

235

…제길

하아…

내가
뭐 하는 거람…

대충 정리하고
나가 봐야…

츠츠

으응…

씨팔, 섹스에
환장한 새끼도
아니고

하아…

스윽

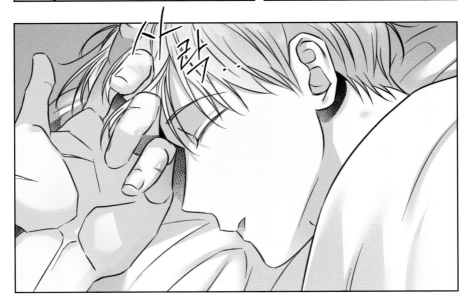

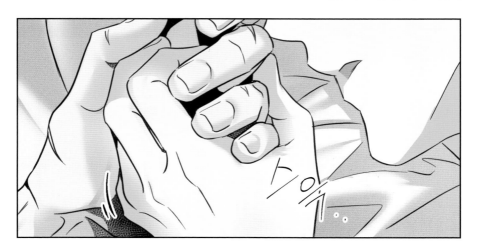

흔히들 말하는 결정적인 계기, 운명적인 사랑.

그런 대단한 징조라도 있었으면
차라리 경계라도 할 수 있었을까.

평소처럼 인사하고
지냈으면 좋겠어요.

그래 주실 거죠…?

자연스럽게
이끌리고 만다는 건

뭣 모를 때나
겪는 감정일 텐데.

명확한 이유도 없이,
그저 스며들 듯이

…하지만.

자주
오시네요?

누군가의
일하는 시간을
기억하는 것,

너는 어떻게
눈물이
멈추질 않아.

누군가의
우는 얼굴을 보고
손을 뻗게 되는 것,

짧은 머리도
이쁘겠다
싶어서

누군가의
드러난 이마를 보고
예쁘다고
생각하는 것은

포기하기엔,

아쉬운 감각이
아닌가.

그러니까.

의준아.

…네!

지금의 내가
할 수 있는 일이라고는 고작

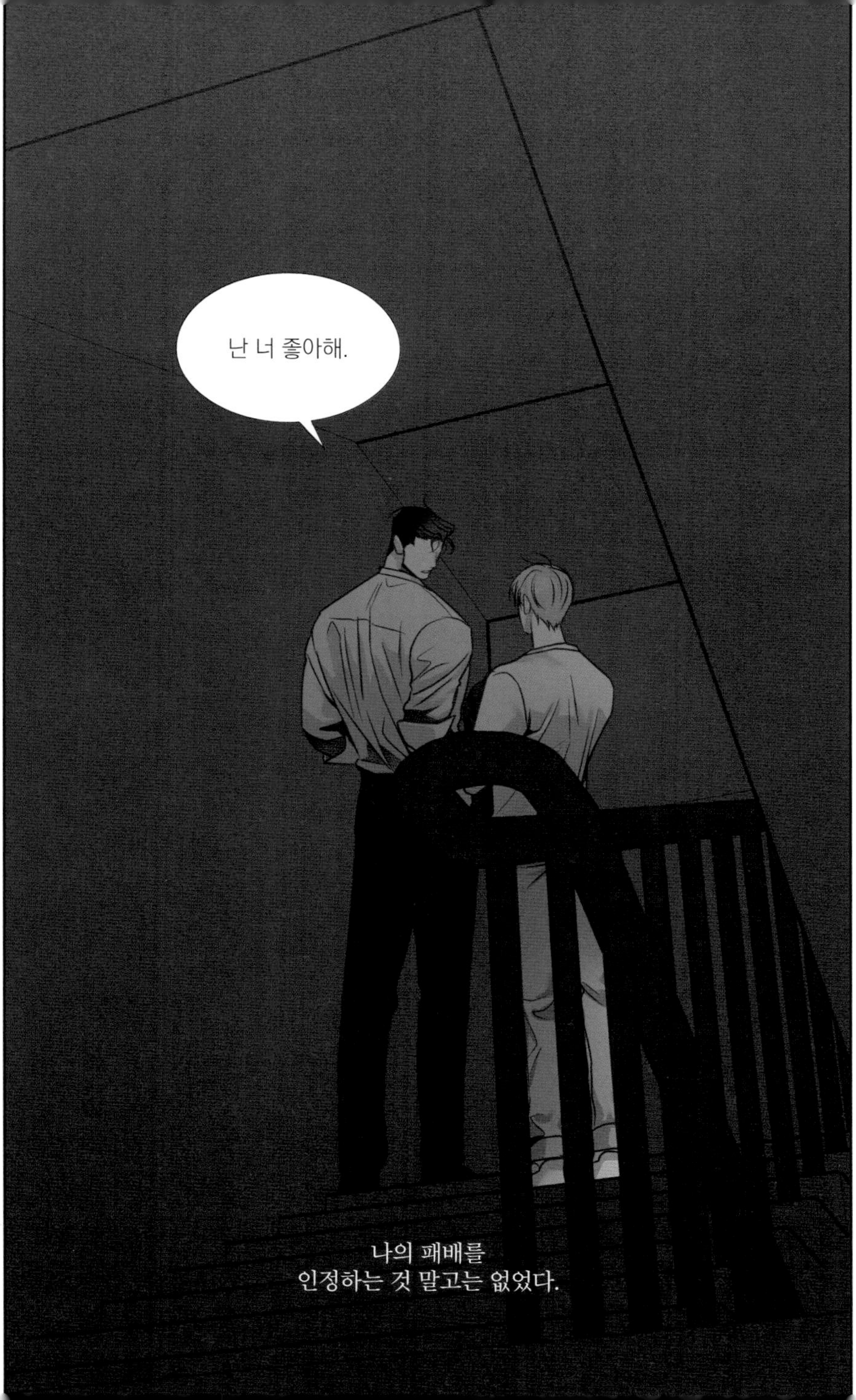
난 너 좋아해.
나의 패배를
인정하는 것 말고는 없었다.

위험한
편의점

초판 1쇄 인쇄 2022년 10월 31일
초판 1쇄 발행 2022년 11월 23일

글·그림 945
펴낸이 정은선

책임편집 이은지
편집 김영훈, 최민유, 허유민
마케팅 강효경, 왕인정, 이선행
본문 디자인 (주)디자인프린웍스
표지 디자인 URO DESIGN

펴낸곳 (주)오렌지디
출판등록 제2020-000013호
주소 서울특별시 강남구 선릉로 428
전화 02-6196-0380 **팩스** 02-6499-0323

ISBN 979-11-92674-06-3 07810
         979-11-92674-04-9 (세트)

ⓒ 945

www.oranged.co.kr